神奇校车

地球内部探秘

文：乔安娜·柯尔 [美]　　　图：布鲁斯·迪根 [美]

四川出版集团

四川少年儿童出版社

版权合同登记号
图进字：21-2005-030

图书在版编目（CIP）数据

地球内部探秘／（美）柯尔著；（美）迪根绘；谢徽译.
成都：四川少年儿童出版社，2005（2010.10重印）
（神奇校车）
　　ISBN 978-7-5365-3464-3
　　Ⅰ.地… Ⅱ.①柯… ②迪… ③谢… Ⅲ.地球内部－儿
童读物 Ⅳ.P183.2-49
中国版本图书馆CIP数据核字（2005）第044255号

神奇校车——地球内部探秘　　文：乔安娜·柯尔(美)　图：布鲁斯·迪根(美)　译：谢徽
Shenqi Xiaoche——Diqiu Neibu Tanmi

策　　划：颜小鹏
责任编辑：刘　丹
封面设计：周筱刚
装帧设计：曹雨锋
责任校对：熊向全
责任印制：王　春

出　　版：四川出版集团　四川少年儿童出版社
网　　址：www.sccph.com.cn
地　　址：四川成都槐树街2号　　　邮政编码：610031
电　　话：028-86259237(发行部)　028-86259192(总编室)
经　　销：全国新华书店　　　　　印　　刷：四川省印刷制版中心有限公司
成品尺寸：210mm×250mm　　　印　　张：3
版　　次：2005年5月第1版　　　印　　次：2010年10月第21次印刷
印　　数：260 001～280 000册
书　　号：ISBN 978-7-5365-3464-3
定　　价：10.00元

抚 摸 我 们 的 星 球

我们生活在美丽的地球上。地球表面有陆地，也有海洋；陆地上有高山，也有平原；山上露出各种不同的岩石，平原被厚厚的土壤覆盖着。现代科学的发展已经把人类送上太空，我们也对地球表面的山川、河流和地球内部有了更多的了解，我们已经能从地下深达几千米至十来千米的地方取得岩石标本，可以用各种间接探测方法把人类的触角深入到几十千米的地壳、更深的地幔、直到地球的核心。我们不能直接钻入地球内部去观察，因为那里温度太高、压力太大，但柯尔和迪根创作的"神奇校车"以天马行空的想象力，带领孩子们在旋转过程中钻进地球、观察地球、了解地球。孩子们区分了岩石和土壤，看到了在水中沉积形成的沉积岩，地下深处的岩浆在向上运移过程中冷却结晶出来的火成岩，和经过长时间高温和高压作用发生了变质的变质岩。在沉积岩中他们看到了过去不同年代生活在地球上的动物和植物化石，在溶洞中他们抚摸了在水滴声中形成的石笋和钟乳石；在火山上他们检查来自地球深处的岩石，仿佛听到了地下传来的隆隆声。校车甚至帮助孩子们深入到6000多千米深处的地核，然后，通过地球的另一侧，沿着火红的火山通道，回到了地球表面的绿色世界。整个故事铺陈得时而紧凑、时而悬疑，无奇不有的想象正好满足了小朋友的好奇心，激发他们的兴趣，丝毫不觉得是在上课，因为所有的学习已经融入了生活情境。

孩子们，欢迎你们来做一次神奇的旅行，希望你们带上收集到的标本，回到课堂，再温习一遍你们看到的地球，等你们长大了，更加努力地去了解和认识这个我们赖以生存的星球。

邓起东

中国科学院院士
中国地震局地质研究所研究员

神奇校车

开进中国了！

请搭上神奇校车，跟着神奇的弗瑞丝小姐及其精怪顽皮的学生，历经一场又一场天翻地覆、惊心动魄又刺激精彩的自然科学大探索……

神奇校车：地球内部探秘

★ 美国公共电视网儿童节目"阅读一道彩虹"精选最佳童书

★ "亚马孙国际网络书店"读者五颗星最佳评价

弗瑞丝小姐要求大家带石头到学校来，可许多同学都忘了。去野外旅行的时机到了！每个人都抓把铲子或电动钻路机开始向下挖。神奇校车钻穿地壳，进到地球中心，又从火山冒出来。从来没有这样采集岩石标本的。下一次，也许同学们就会乖乖地做家庭作业了！跟着最另类的地球科学老师，来趟前所未有的神奇之旅，直攻地球科学的核心！

神奇校车：在人体中游览

★ 本书荣获ＩＲＢ教师精选最佳童书

★ ＡＢＣ最佳童书

★ 号角出版社书迷童书首选

★ 纽泽西州年度童书首选

弗瑞丝小姐和她班上的学生正坐着神奇校车前往博物馆。但就在他们停下来吃午餐时，灾难发生了。校车不但缩得很小，还掉入一包"奶酪饼"中，整班学生便连人带车被吞了下去！这下子，弗瑞丝小姐的学生只有从人体游览了。他们首先穿越胃、小肠，进入血液；接着又去向心脏、肺和大脑。他们要如何才能离开人体呢？请关紧车窗，系好安全带，一段激动人心的旅程就要开始了！

神奇校车：漫游电世界

★ "亚马孙国际网络书店"读者五颗星最佳评价

弗瑞丝小姐和班里学生坐着神奇校车进到一条电线里，展开了一场电的冒险之旅。他们来到发电厂，知道电是怎么被"发"和"传"出来的；接着混入图书馆的灯泡中，看它如何发光；再到餐厅的烤面包机里，看它是怎么烤面包的；然后钻到菲比家的电器里，去看电锯怎样锯东西、吸尘器怎么吃灰尘、电视怎么产生影像和声音……最后，再从学校的电源插座里冒出来，回到教室。

神奇校车：水的故事

★ 本书荣获美国波士顿环球报——号角出版社非小说类最有价值童书

★ "亚马孙国际网络书店"读者五颗星最佳评价

当弗瑞丝小姐宣布这次的校外教学要去自来水厂时，谁也没料到，这趟"水的旅行"，竟然会那么惊险刺激！神奇校车一飞冲天，停在一朵白云上，全班学生顿时都变成了大大小小的雨滴，先跌落到山中的小溪里，流浪到水库，又潜入了自来水厂，洗澡、消毒一番后，泡在配水塔里，然后再钻进输水管，一路游到学校的女生厕所，哗啦啦……嘿！同学们一起从洗手台的水龙头里被喷射出来！

神奇校车：海底探险

★ "全美书商联盟"精选最佳童书

★ 美国《教育杂志》非小说类神奇阅读奖

在弗瑞丝小姐的带领下，神奇校车载着同学们直接驶入海洋，整个过程惊险刺激。同学们可以下海去欣赏这些五彩缤纷、形形色色的海洋生物。神奇校车先是驶过"沙岸潮间带"，再进入"岩岸潮间带"，接着登上"大陆架的浅海域"，又沿着大陆斜坡往下驶入黑暗无光的"深海生态系"，最后在上升返航途中造访了最美丽的"珊瑚礁生态系"。他们认识了各类不同的海洋生态系，了解了许多课本上没有的海洋知识。

神奇校车：奇妙的蜂巢

★ 纽泽西州年度童书首选

★ "全美书商联盟"精选最佳童书

在这一次旅程中，神奇校车变成了一辆蜂巢巴士，而弗瑞丝小姐和她的学生们变成了小蜜蜂。他们一定要想办法混进蜂巢内，才能获得关于蜜蜂群体生活的第一手资料。书中将现实、幻想、冒险和幽默融合在一起，带领读者探索蜜蜂的生活，发现它们是如何寻找食物、建筑巢室、制造蜂蜜和蜂蜡，了解它们照顾后代的方法。昆虫的生活原来是如此复杂多变、神奇美丽。

神奇校车：迷失在太阳系

★ 本书被美国《学校图书馆学刊》评选为年度童书首选

★ "全美书商联盟"精选最佳童书

★ "亚马孙国际网络书店"读者五颗星最佳评价

弗瑞丝小姐班上的学生个个兴高采烈，因为他们要去参观天文馆。谁知竟然休馆！幸好，神奇的老师有办法挽救这一切。校车变成了一艘太空船，直接穿越了大气层，载着弗瑞丝小姐和班上的同学冲向月球和更远的外太空！对弗瑞丝小姐来说，这虽然只是踩上油门踏板的一小步，对神奇校车迷来说，却是扩大想像力的一大步——跟随着神奇校车飞入太空，展开前所未有、最棒的太阳系探索之旅！

神奇校车：追寻恐龙

★ "全美书商联盟"精选最佳童书

★ "亚马孙国际网络书店"读者五颗星最佳评价

弗瑞丝小姐要带她的学生去挖掘恐龙化石，看一看慈母龙的巢穴。但当同学们一到了化石的国度，校车竟化身为时光机器，送他们回到遥远的史前时代——恐龙在地球上悠游逍遥的时代。他们认识了各式各样超强的恐龙，还有它们的各种特性、本领，并探讨恐龙灭绝的原因；跟着最神奇的老师走一趟三叠纪、侏罗纪与白垩纪之旅，下载最新的恐龙资讯。快穿上你的迷彩装，这将是你不想错过的实地考察！

神奇校车：穿越飓风

★ "亚马孙国际网络书店"读者五颗星最佳评价

有一股飓风正在热带海洋上空狂吹……一个怪异的黄色物体被卷入飓风漩涡当中。那是一个热气球……那是一架飞机……那是神奇校车！弗瑞丝小姐班上的同学没有到气象观测站参观，而是亲身从陆、海、空彻底体验了飓风。读者可在这部最畅销、最新版本的科学读物中，学到空气的变化是如何影响天气的。当你身置飓风之中，风、雨、雷、闪电将呈现新的面貌！

神奇校车：探访感觉器官

★ 本书荣获美国《教育杂志》非小说类神奇阅读奖

对弗瑞丝小姐班上的学生来说，幽默感当然很重要。当弗瑞丝小姐离开学校时，忘了一件重要的事，新来的校长助理先生冲上神奇校车要去追她，整班的学生也一窝蜂跟上。他们一路跟踪弗瑞丝小姐，畅游了人的眼睛、耳朵、舌头，甚至跑到一只狗的鼻子里玩过。在这趟神奇之旅中，同学们又学到了视觉、听觉、嗅觉、味觉、触觉和其他更多的感观知识。

在弗瑞丝小姐的课上，我们花了差不多一个月来了解动物的家。这真让我们烦透了。因此，当弗瑞丝小姐宣布"我们开始学新课"时，大家都开心极了。

新玩意儿来了。谢天谢地！

走开！

海狸鼠窝

草原犬鼠洞

到了第二天，许多人没完成作业。

我没有找到岩石。

我倒是找到了一块，可我的狗把它吃了。

你的狗吃了一块岩石？

岩石从哪里来
——汪达

地球的大多数固体部分都由巨大的岩石群组成。我们搜集的小块岩石是从大岩石上敲下来的。

"我想我们得进行一次郊游，去搜集一些岩石。"弗瑞丝小姐说。

岩石由什么组成

——蒂姆

岩石由矿物质组成。有时你会看见岩石上有五颜六色的小斑点，有时你还会看见光斑。

这些不同的斑点就是组成岩石的不同矿物质。

弗瑞丝小姐为这次旅行换上了新衣服。谁也想不出和弗瑞丝小姐一起旅行会发生什么事。

刚开始，校车不能启动，后来，我们总算上路了。

我真不敢相信弗瑞丝小姐会那副打扮。

你会习惯的。

当我们来到郊外时，所有的孩子都想到车外面去。

可是，车子突然像个陀螺一样旋转起来。这种事情在以前的活动课中从未发生过。

系好安全带，孩子们。

弗瑞丝小姐，我们什么时候找岩石？

已经转晕了。

地壳　　　　　——约翰

　　地球外层由土和坚硬岩石组成的外壳，叫做地壳。

　　旋转最终停止时，好多事情都变了。我们都穿上了新衣服，汽车变成了一辆挖掘机。
　　班里的每个孩子都拿着铲和锹。
　　"开始挖！"弗瑞丝小姐叫道。我们开始在地中间挖一个大洞。

在你身下总有岩石
　　　　　　——雪 莉

　　地壳的岩石大都被土和水覆盖着。如果你挖深一些就能找到岩石。无论你站在哪里，走到哪里，或是漂到哪里，你身下都有岩石。

不一会儿——咣！——我们碰到了岩石。弗瑞丝小姐拿出几把手提电钻。我们开始钻坚硬的岩石。

我还是不习惯弗瑞丝小姐的做法。

这需要时间。

沉积岩是如何形成的
　　　　　　——莫莉

　　几百万年以前，风把尘土和沙子吹到湖泊和海洋里。尘土和沙子沉到水底形成一层沉积物。沉积物里也会有贝壳。随着时间流逝，这层沉积物变硬了，就成了我们今天看到的沉积岩。

地球科学词汇
　　　　　　——多罗西

沉积物源于"沉积"一词。

　　我们敲下几小块岩石作为我们班的岩石搜集品。

　　"这些岩石叫做沉积岩。"弗瑞丝小姐说，"在沉积岩里常常能发现化石。"

砂岩是由压紧的沙粒组成的。

页岩是由紧压在一起的泥和黏土组成的。

砂岩摸起来像有很多颗粒。

这块页岩里有一个树叶化石。

这个石灰岩里有一个贝壳化石。

那是因为石灰岩是由贝壳等物质紧压而成的。

几百万年前,这里是一片大海。

为什么岩石层里有化石
——菲比

有时史前植物和动物死了,会被层层的土、沙和贝壳碎片掩埋住,然后和沉积物一起变成岩石,就成了化石。

化石:始祖鸟

恐龙蛋

当我们还在找化石时，弗瑞丝小姐说："回到车上去，孩子们。"后来我们又驱车前进，这时我们听到岩石在我们身下崩塌的声音！

我们越往下走，一切变得越来越黑。我们不停地向下，向下，向下！

我永远也习惯不了这个。

我们颠了一下着地了。弗瑞丝小姐打开了头上的灯。

我们从一个洞口掉进了一个巨大的石灰岩洞里。

"多少年来，雨水一直透过地表滴落下来。"弗瑞丝小姐说，"水滴石穿，就形成了这个岩石洞。"

帝国大厦也是用石灰岩建造的。

这个溶洞是由石灰岩形成的。你们能在这儿找到更多的化石吗？

这儿有一个，弗瑞丝小姐。

把它敲下来！

我们都想多呆一阵，可突然，汽车长出了钻头，它开始向岩石里钻。弗瑞丝小姐喊道："跟着汽车走！"我们又开始向下走。

看！一根石笋从地上长出来了！

一根钟乳石从顶上垂下来了！

石笋和钟乳石是如何形成的
——菲 尔

溶洞里的石笋和钟乳石看起来像竹笋和冰柱，这是由于滴下的水中有看不见的微量石灰石微粒，这些微粒就形成了石笋和钟乳石。

怎样记住这两个单词：

石笋因为有"笋"，所以是地上长的。钟乳石有"乳"，所以是从上面滴落下来的。

又一个地球科学词汇
——多罗西

变异源于另一个词：
"改变"。

我们越往下走，里面就越热，岩石也越硬。

"因为压力和热量，这些岩石就从一种变成了另一种。"弗瑞丝小姐解释说，"变化了的岩石被称为变异岩石。"

这块漂亮的大理石过去也是石灰岩。

它可以用来雕刻大理石塑像。

我还不知道岩石会变。

这可需要几百万年才行。

弗瑞丝
小姐
学校教师

火成岩是如何形成的
　　　　　　——迈克尔

　　熔化的岩石成为岩浆，就能穿过岩缝到达地表。当岩浆冷却变硬时，就形成了火成岩。

地球科学词汇
　　　　　　——多罗西

　　火成一词源于"火"这个词。
　　地球内部热得像火一样，可以熔化岩石。

我们继续向下朝地球中心前进。

我们敲敲那些岩石，它们是在几十亿年前，由地球表层下的熔岩形成的。这样的岩石就称做火成岩。

弗瑞丝小姐踩了一脚油门，汽车又开始钻起来。

我们实际上很快就来到地球内部。这里真是太热了，太热了！我们急速向地心驶去，越往地心走，便越热。

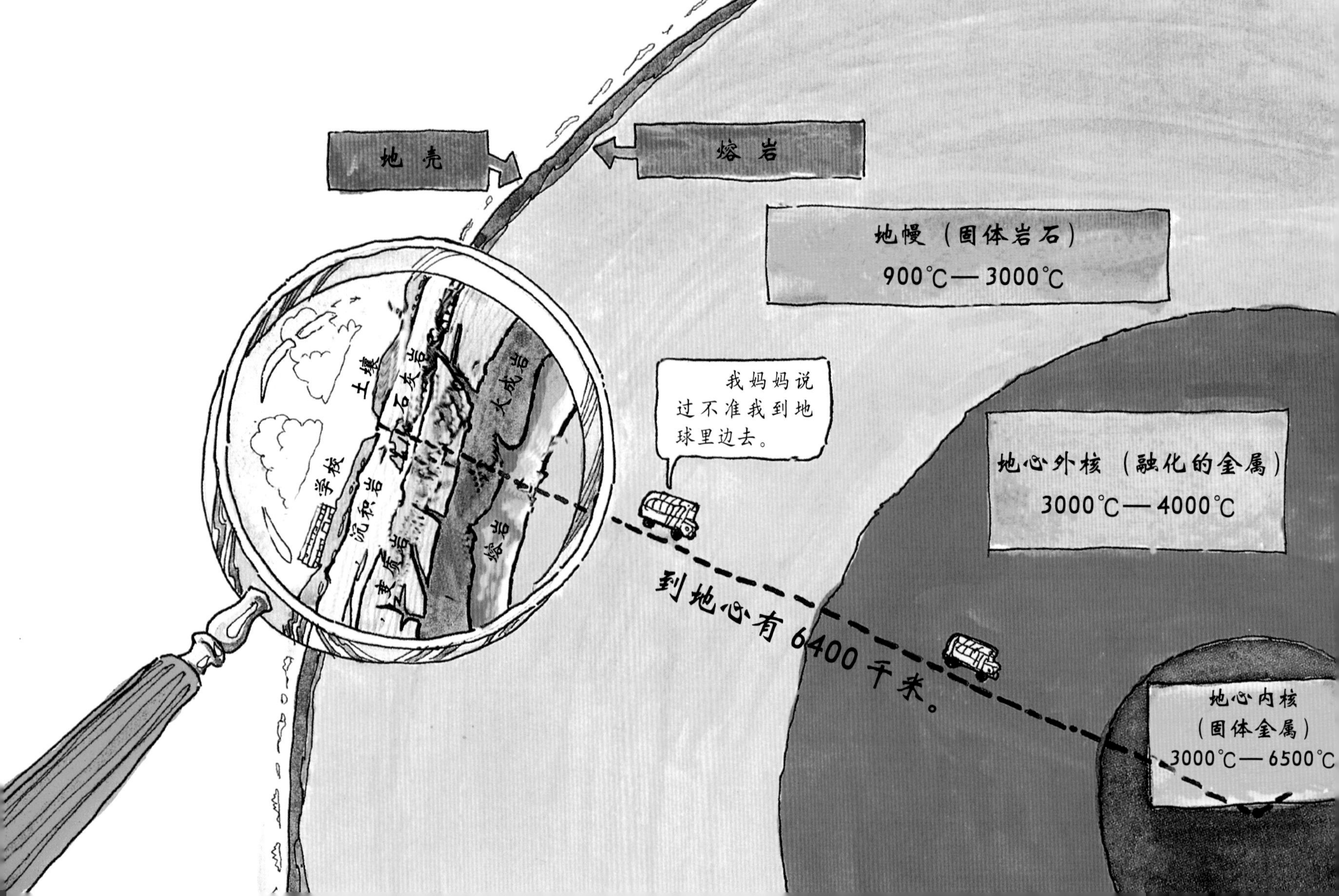

地壳

熔岩

地幔（固体岩石）
900℃—3000℃

我妈妈说过不准我到地球里边去。

地心外核（融化的金属）
3000℃—4000℃

到地心有 6400 千米。

地心内核
（固体金属）
3000℃—6500℃

我们很高兴地看到弗瑞丝小姐开始朝外走。我们到达了地壳，驱车直接穿过一条黑暗的岩石隧道。真高兴又见了天。

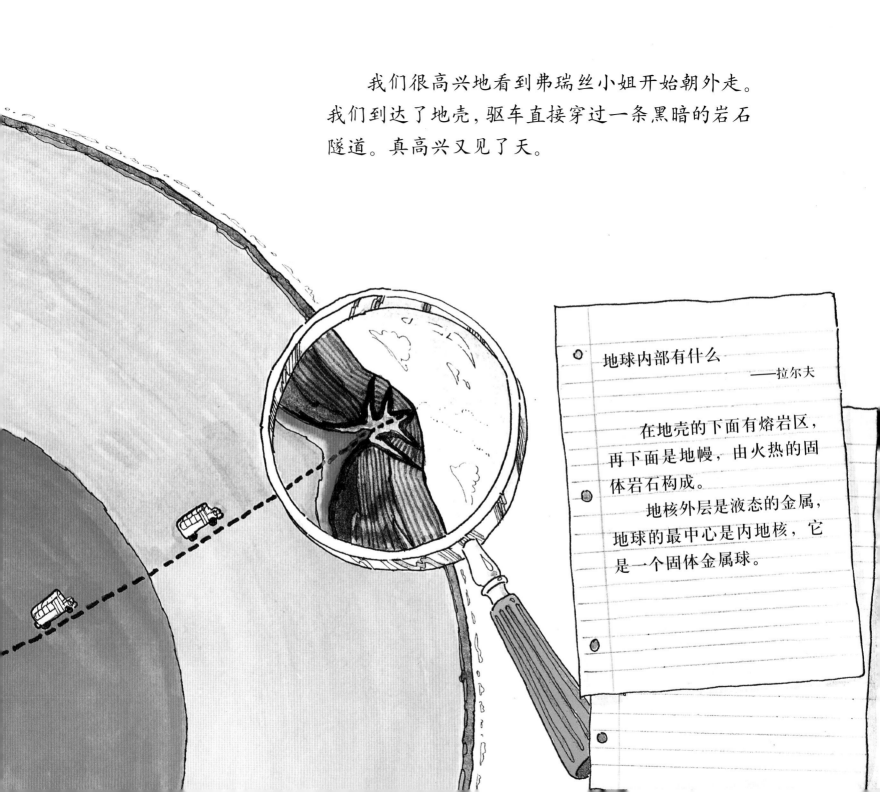

地球内部有什么
——拉尔夫

在地壳的下面有熔岩区，再下面是地幔，由火热的固体岩石构成。

地核外层是液态的金属，地球的最中心是内地核，它是一个固体金属球。

什么叫火山

——雷切尔

火山就是地壳上的口子，岩浆可以从那里涌出来。火山有不同的形状：

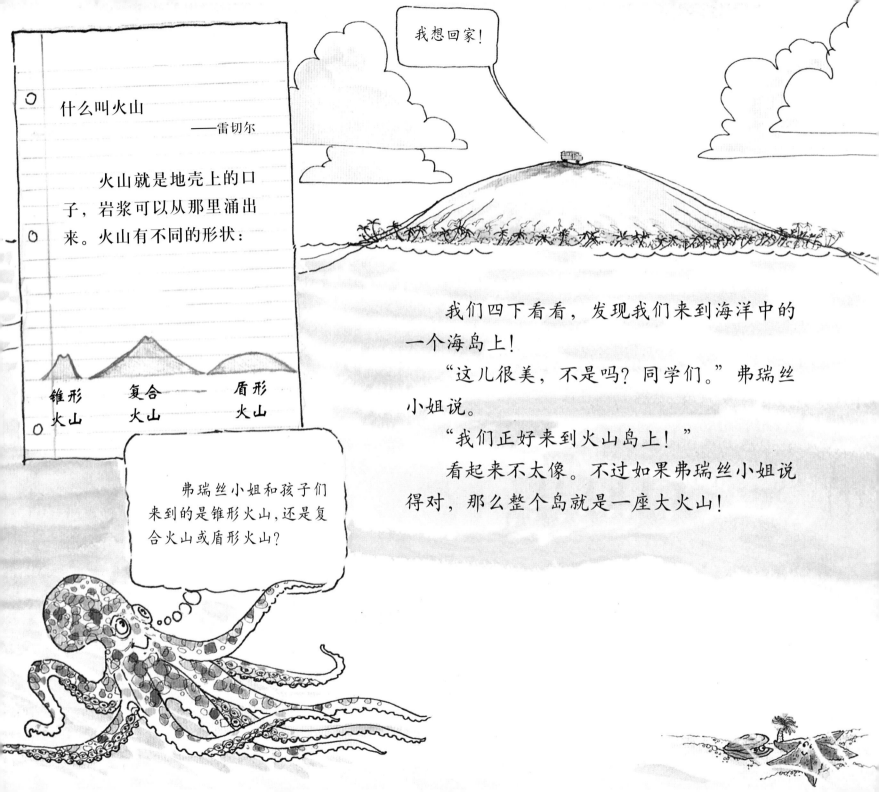

锥形火山　　复合火山　　盾形火山

弗瑞丝小姐和孩子们来到的是锥形火山，还是复合火山或盾形火山？

我想回家！

我们四下看看，发现我们来到海洋中的一个海岛上！

"这儿很美，不是吗？同学们。"弗瑞丝小姐说。

"我们正好来到火山岛上！"

看起来不太像。不过如果弗瑞丝小姐说得对，那么整个岛就是一座大火山！

火山形成新陆地

——阿诺德

从火山里流出来的物质是熔化的岩石，叫做熔岩。

当熔岩冷却下来，就变硬成新岩石。

最后，岩石上有了土壤，植物就可以生长了。

我不知道火山有什么用!

我们爬进汽车。弗瑞丝小姐扭动点火钥匙，踩下油门。没有反应，汽车发动不起来。我们都认为我们完了。

哦——啊

火红的熔岩夹杂着蒸气涌出了火山。有的熔岩像喷泉一样喷到空中，有的像河水一样在地上流动。

我们的汽车随着熔岩一起流进海里。

同学们，熔岩变硬时，就成了地球上最新的岩石。

谁关心这些？快让我们离开这儿！

当火红的熔岩一碰到水，立刻就形成一团
巨大的水蒸气，我们的眼前白茫茫一片。我们好
像随着这蒸气飘了起来，谁也不知道我们在云
中飘了多长时间……

这真是一次不可思议的旅行，可我们确实为我们班弄到了许多岩石收藏品。

阿诺德，那不是岩石，那是塑料泡沫。

不能再来一次了！

岩 石 收 藏 品

弗瑞丝小姐的班级

不是岩石！

雪莉的岩石
石灰岩

类别：沉积（由贝类形成）
用途：建筑、粉笔、水泥、化肥

阿曼达的岩石
大理石

类别：变质（由石灰岩形成）
用途：雕塑、纪念碑、建筑物

菲比的岩石
页岩

类别：沉积（由泥浆形成）
用途：磨碎后和石灰混合制成水泥和砖

汪达的岩石
花岗石

类别：火成
用途：纪念碑、建筑、路边石

约翰的岩石
极岩

类别：沉积（由页岩形成）
用途：屋顶瓦、石板、黑板

迈克的岩石
砂岩

类别：沉积（由沙形成）
用途：建筑、磨石

莫莉的岩石
玄武岩

类别：火成（火山）
用途：筑路

雷切尔的岩石
黑曜石

类别：火成（火山）
用途：装饰、印第安箭头

佛罗莉的岩石
浮石

类别：火成（火山）
用途：除垢粉

菲尔的岩石
石英石

类别：变质（由沙岩形成）
用途：无线电器材、光学仪器、玻璃

作者和画家的对话

　　本书的第一个读者打电话抱怨说，这书里尽是错误。我们记录下来这些对话以便你能确定哪些事是真的，哪些事是我们为了让故事更精彩而加进去的。

读者：这本书尽是错误！

作者：不可能！

画家：这本书里的每件事都是绝对真实的，也确实发生过。

读者：那第 7 页上的海狸鼠窝是怎么回事？

作者：啊，那个，唔，我猜真正的教室里也会这么乱。

读者：那么蜂巢呢？

画家：那个嘛，也一样。反正所有的都是事实。

读者：啊，老天！你的意思是孩子们可以使用电钻（16 页），汽车能变成挖掘机（14 页）或钻机（23 页）？

作者：唔，呃，既然你提到这件事，也许确实不太可能。

读者：你指望我相信一辆车能够穿过地心吗（28 页）？

画家：是呀……

作者：也许……

画家：唔，实际上，不。那车不能那样。

作者：就算那辆车能够钻出一条路来，那个旅行的距离也太长了，要几个月甚至几年。

读者：那么热也受得了吗？

作者：对，对！地心已经白热化了。车要不了一分钟就会熔化了。

读者：可你说空调可以降温，这不是很可笑吗？

作者：噢，你真是刨根问底的人！对，你是对的。那么热，空调也没什么用。

读者：车也不能在熔岩里流动，也不能升到蒸气里，是吗（33-34页）？

作者：让我喘喘气！你又对了。那也不是真的。

读者：但你刚才说一切都是真的。

作者：另一些是真的吧，亲爱的。

读者：另一些？确实有沉积、变质和火成的岩石？

作者：肯定！

读者：熔岩变硬后真会形成新岩石？

画家：哦，是的。

读者：那么弗瑞丝小姐的穿戴呢？

作者：那的确难以置信，但却是真的。

画家：她真的喜欢那样穿！

怎样读这些新的地球科学单词

(xuán wǔ yán)
玄武岩

(hēi yào shí)
黑曜石

(zhōng rǔ shí)
钟乳石

(huā gāng yán)
花岗岩

(fú shí)
浮 石

(shí sǔn)
石 笋

(huǒ chéng yán)
火成岩

(shí yīng shí)
石英石

(róng yán)
熔 岩

(chén jī yán)
沉积岩

(biàn zhì yán)
变质岩

作者和画家衷心感谢美国自然史博物馆矿物科学部副馆长乔治·哈罗博士，感谢他为本书的准备提供了帮助。

作者还要感谢巴纳德学院地质学教师彼得·鲍尔博士给予的咨询帮助。

献给迈克尔·斯通。

——乔安娜·柯尔

献给麦克斯韦·"米老鼠"·科恩和亨利·"汉克"·西尔韦斯登，两个石头迷。

——布鲁斯·迪根

神奇校车

爱校车，爱科学，我们又出发啦！

第二辑简介

神奇校车：把热留住

啊呃！阿诺德的热可可已经凉了。热跑到哪里去了？我们的弗瑞丝小姐肯定有办法！这回，我们和弗瑞丝小姐一起去北极圈，大家不仅知道了怎样让自己暖和起来，还学会了如何把身上的热留住。我们可爱的蜥蜴——里兹，又将如何在北极生存呢？

神奇校车：愉快飞行

怎么样才能飞起来呢？弗瑞丝小姐和班上的同学一起缩小到模型飞机里，他们找到了问题的答案。大家在一只老鹰的启发下，学习了怎样把飞机升上天，怎样在天上一直飞行，怎样驾驶飞机向左、向右转弯。胆小的阿诺德这次竟成了英雄！快来吧，飞翔的感觉真的很棒！

神奇校车：有趣的食物链

今天是海滩日，全班同学都兴高采烈——除了阿诺德和凯莎。他俩忘了做关于海边生物的报告。他们只带了金枪鱼三明治和一些臭的池塘绿藻。这两样东西与海滩日有关联吗？"学习的最好方法就是身临其境。"弗瑞丝小姐对大家宣布。一秒钟后，神奇校车冲入海中！

神奇校车：光与植物

什么地方搞错了？为了寻找答案，弗瑞丝小姐把菲比变成一株豆类植物。班上其他同学被缩小、钻进旁边的一棵植物里，去瞧瞧植物究竟吃些什么才能长大。来！让我们坐着神奇校车去进行一次奇妙的旅行，看看植物体内那间奇妙的食物加工厂，去解开"光合作用"的秘密！

神奇校车：腐烂小分队

今天是"奇特科学项目"日。同学们要从自家的冰箱里找出一种霉变得很厉害的东西，带到学校。大家在做这件事情的时候，觉得很恶心。可当神奇校车开进腐朽的木头里时，大家发现，看似死的东西其实都是活的，而且还很奇妙呢！快来加入我们的"腐烂"冒险吧！

神奇校车：光的魔法

全班同学去看"发光表演"，可表演刚结束，阿诺德和他的表妹珍妮就失踪了！这时，整个戏院也都停电了。难道这家戏院闹鬼吗？紧接着，大家看见舞台上的鬼影子，竟然像极了阿诺德！凯莎知道那肯定是场恶作剧，但究竟是怎么变出来的呢？幸好，弗瑞丝小姐开着神奇校车过来了……

第三辑简介

神奇校车：拜访企鹅

这次，全班同学跟随弗瑞丝小姐去了南极洲——地球的最南端。南极洲的动物可有趣了，人见人爱的企鹅就生长在南极，那里还有冰山、冰棚。啊，对了！这回阿诺德还被一只企鹅妈妈指派了特别任务！快来瞧瞧！

神奇校车：走进微生物

一说起"细菌"，总让人觉得脏兮兮的，但它可是微生物大家族的一员呢。这个家族大极了，而且无处不在！你想知道细菌是怎么传播的吗？你想知道发烧是怎么回事吗？来和我们一起变成小小微生物吧！

神奇校车：穿越雷电

天气是我们日常生活中特别重要的一部分。可你知道雨是如何产生的吗？你知道雷电是怎么形成的吗？你认识各种各样的云朵吗？有关气象的知识真是丰富多彩！这次和大家一起历险的还有气象星先生，他可有趣了！快跟我们一起去穿越雷电吧！

神奇校车：怒海赏鲸

听说鲸是世界上最大的哺乳动物，我从没想到有一天能那么近地看见它。人们常说的"鲸鱼"到底是不是鱼呢？你认识它们的喷雾吗？唔，还有很多有趣的知识。快跟我们坐着神奇校车去赏鲸吧！

神奇校车：跟踪昆虫

大家好，我是汪达。我有两只可爱的瓢虫宝宝。有一天，我的两个宝贝失踪了，这可把我急坏了。不过全班同学在寻找它们的过程中，也对昆虫大家庭有了更多的了解。快和我们一起坐着神奇校车去丛林中探险吧！

神奇校车：巡航北极

你听说过北极吧？那里有温顺的北美驯鹿、勇猛的麝香牛、有趣的海豹、奇怪的旅鼠，最重要的是，大大的北极熊就生长在那里。这次带我们踏上旅程的可不是普通人物，怎么回事呢？快跟我来！

神奇校车：逃离巨鲨

想不到吧，我们竟然亲眼见过鲨鱼了！我们看见了很多种鲨鱼；见识了它们的超级感官能力；了解了各种鲨鱼的牙齿……这可不是一般的历险，因为阿诺德成了大家心目中的英雄，快跟我一起出游吧！

神奇校车：探寻蝙蝠

蝙蝠是人类研究已久的动物，有关它们的事情和趣闻可真不少。你想了解它们吃什么吗？你想知道它们住在哪里吗？你听说过回声定位吗？还有很多很多知识，让我慢慢讲给你听。

作者介绍

乔安娜·柯尔 (Joanna Cole) 做过教师和儿童读物编辑、现在专事写作。

布鲁斯·迪根 (Bruce Degen) 热爱大自然，已经为孩子们画了几十本图书。

他们创作的《神奇校车》系列丛书，表达了自己对科学的热爱。这套科普故事书，以新颖活泼、好玩易懂的形式，带领孩子们进入浩瀚的科学领域，畅游在地球科学、生物科学、太空科学、气象学、古生物学等学科中。

1991年，《神奇校车》获得了《华盛顿邮报》非小说类儿童读物奖。

网络留言

阿明现在对看书的兴趣越来越大，做妈妈的又有了新烦恼：

他不仅仅得控制自己，总是要把所有喜爱的书全都看一遍这天才算过得愉快。

他的最爱又很多，全部看一遍会很累的，累了就会大哭大闹，不好转移视线。

最近迷上了《神奇校车》，爱不释手。但上面的内容太丰富、知识点过多，我怕他累着。

——阿明妈妈

《神奇校车》，我已经买了很久了，不过还没有给丁丁看过。一半是觉得里面的内容适合3岁以上的孩子看，另一半是同情我自己，怕丁丁迷上以后，我就闲不了了。呵呵……

很多朋友近期都在和我抱怨，她们的孩子看到校车后，就迷上了，然后每天都要抱着书让妈妈讲。这套书的特点，就是画面似乎有些凌乱，家长看着眼花缭乱，孩子却乐此不疲哦。我打算让丁丁3岁以后再看这套书呢，所以给孩子讲，经验就不足啦。呵呵……

——丁丁爸爸

就故事而言，这本书就已经非常精彩，难怪很小的孩子都会喜爱。再加上图画古怪而夸张的风格，在细节处，特别是与弗瑞丝小姐的衣着相关的细节处，那种随意变化、漫无边际的幽默趣味，使这套书成为对孩子极具魅力的读物。适合3岁以上亲子共读，也适合有独立阅读能力的少年读者自由阅读。

——小鼹鼠

连我都喜欢上了，何况小朋友！只是，我被彬彬缠得没有办法看完一本书，他要求我把所有的书都摆在他身边，一本接着一本讲！讲得我呀，昏天黑地，口干舌燥。真想把这东东藏到他找不到的地方。

——彬彬妈妈

终于看到有MM说的这套书了。

这是一套美国著名的科普画书，由乔安娜撰文，布鲁斯绘图。这套书目前引进了10册，包括《在人体中游览》《地球内部探秘》《探访感觉器官》《奇妙的蜂巢》等等。

适合年龄：3—14岁

红泥巴评价：叙事能力10分　画面和谐7分　风格特征10分

说明：非虚构类的图画书要想做到特别好玩不容易，《神奇校车》居然能做到。作为科普读物，《神奇校车》公认是一套内容相当严谨的书，但并不妨碍它同时也是好玩甚至搞笑的图画书。

——寻梦园